THE *DIARY OF A WIMPY KID* SERIES

MORE FROM THE *WIMPY* WORLD

DIARY

o a

Wimpy Wean

UP TAE THE OXTERS

by Jeff Kinney

First published 2020 in Scots by Itchy Coo

ITCHY COO is an imprint and trade mark of James Francis Robertson and
Matthew Fitt and used under licence by Black & White Publishing Limited.

Black & White Publishing Ltd
Nautical House, 104 Commercial Street, Edinburgh, EH6 6NF

1 3 5 7 9 10 8 6 4 2   20 21 22 23

ISBN: 978 1 78530 319 7

First published in the USA in the English language in 2020
by Amulet Books, an imprint of ABRAMS
Original English title: Diary of a Wimpy Kid: The Deep End
(All rights reserved in all countries by Harry N. Abrams, Inc.)

Book design by Jeff Kinney
Cover design by Chad W. Beckerman and Jeff Kinney

Scots translation © Thomas Clark 2020

The right of Thomas Clark to be identified as the translator
of this work has been asserted by him in accordance with the
Copyright, Designs and Patents Act 1988.

A CIP catalogue record for this book is available from the British Library.

Translation typeset by creativelink.tv
Printed and bound by CPI Group (UK), Croydon, CR0 4YY

TO RYAN

AUGUST

<u>Thursday</u>

Look, jist cause ma faimily arenae that bad disnae mean I want tae spend twinty-fower oors a day wi them, seeven days a week. But thon's EXACTLY how it's been this past wee while-o.

It's no jist me that's gettin fed-up wi it, either. We're AW at the end o oor tether, and if it disnae chynge soon, we'll be in it up tae oor oxters.

Ma Maw says we've been stuck in the hoose ower lang, and we need a wee break. But whit we really need is a break frae each ITHER.

But there's hee-haw chance o that happenin, cause we're absolutely SKINTO. And the reason for that's kind o a lang story.

We've been bidin in ma Granny's basement for the past twa months, and we're aw aboot ready tae rattle somebody. Ma Maw keeps sayin that wan day we'll look back on aw this and laugh, but well seen it's no her that's hivvin tae share a futon wi RODRICK every nicht.

The daftest bit is, ma Granny's got hunners o room in her hoose, sae I dinnae ken how oor hale faimily hiv tae bide in her basement. Soon as we got here, I baggsied the guest room, but ma Granny said it wis awready taen.

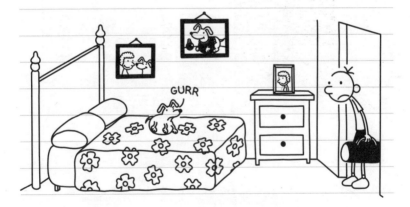

GURR

I dinnae think ma Granny's awfy chuffed aboot us bidin wi her, cause whenever her cronies come ower she tells us aw tae stey richt oot the road.

And that's no the best, seein as how there isnae a lavvy in the basement, and her pals are ayeweys there for DONKEYS.

We've no tae use the kitchen when ma Granny's got fowk in, and that means we cannae hae oor denner until they're awa up the road. But I dout last nicht Rodrick got fed-up o waitin, cause he warmed up some auld pizza in ma Granny's dryer.

There's nae telly in ma Granny's basement, sae the anely thing we've got tae entertain oorsels wi is each ITHER. But that's jist no cuttin it ony mair.

Ma Maw says bein bored is guid, cause then ye've got tae use yer imagination. Weel, I'll try onythin, me, but I aye end up imaginin the exact same thing.

Anither thing that's pittin us aw on edge is that ma Da's wirkin frae hame this summer, sae he's aye kickin aboot. And whenever ma Da's got a meetin, the rest o us hiv tae let on like we're no there.

But jist gie that a try when ye've a three-year-auld in the faimily.

Maist o the time, I jist try tae keep ma heid doon. Ma Granny's got a wheen o jigsaws doon in the basement, and I've done a few o them masel. But ma Maw ayeweys lets Manny pit the last piece doon, jist sae he feels like he's done somethin wi his life.

If ye ask me, ma Maw's no daein Manny a lick o guid SPILIN him like thon. And it's anely got warse since we stairtit bidin wi ma Granny.

Sometimes, efter denner we aw play a board gemme thegither. But Manny cannae haunle gemmes wi a load o rules, sae we aye end up playin somethin that disnae involve SKILL.

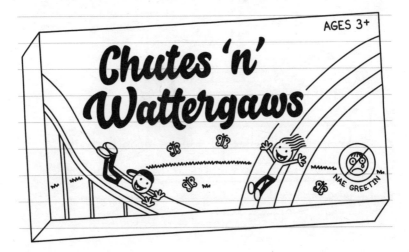

We aye gang tae bed afore it's even daurk ootside, cause we're aw wirkin tae MANNY'S routine.

Richt noo, Manny's favourite bedtime story is a Noah's Ark pictur book. It's aboot this loon wha hears it's gonnae be bucketin doon for pure ages, sae he builds a muckle boat tae cut aboot in wi a load o animals.

The drawins in Manny's book are aw cairtoons, and they mak it look as if this flood that wiped oot hauf the planet wis ACTUALLY kind o a guid laugh.

But I dout if the drawins were mair realistic, fowk mebbe widnae want it for their bairns.

There's wan bit o the Noah's Ark story I cannae get ma heid roond, but. Likesay, whit wis Noah aw aboot lettin pure scunners like snakes and scorpions on the boat? I mean, if it wis up tae ME, thae wee radges wid hae been SWIMMIN hame.

And then I wid hae used the extra space for mair o the GUID animals, like dugs and hurcheons and totey wee hippos.

Jist as weel Noah didnae hiv tae find room on the boat for whales and fish, cause they'd hae taen up hunners o space. They probably didnae even ken the flood wis happenin in the first place.

But it disnae mak a lick o sense that Noah let BIRDS on the ark, seein as how birds can, ye ken, FLY. I bet he wis kickin himsel ower that yin.

Ye anely hear aboot the animals that SURVIVED the flood, eh. But I sometimes wunner if there wis a hale wheen o pure gallus animals that DIDNAE get ontae the boat.

PAP

CHOWE
CHOWE

CHEEP!

SNOCHER

Whit the story says is, efter it'd been pourin for forty days and forty nichts, it took 150 days for the flood-watter tae gang back doon. That means Noah wis stuck on the boat wi a load o animals, forby his wife and his three laddies, the hale time.

Sae whenever I'm feelin a bit sorry for masel bidin in ma Granny's basement wi ma faimily, I think aboot Noah and things dinnae seem that bad ony mair.

Ma Maw keeps sayin she's gled we're aw thegither richt noo, cause she feels like time has slowed doon. I've noticed that masel, but tae ME it's no somethin tae be HAPPY aboot.

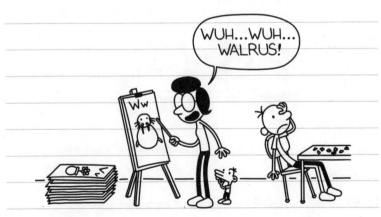

Anither thing that's really draggin this summer oot is that I cannae gang tae ma pal Rowley's hoose. And that's cause he's awa on some fantoosh European holiday wi his faimily.

When Rowley first telt me aboot his faimily's plans, I tried tae see if his parents wid let me chum alang. But I dout Mr. and Mrs. Jefferson arenae the full shillin, cause they never picked up on ony o ma hints.

DAE YE NO THINK YER TRIP WID BE BETTER IF YE'D A **PAL** WI YE? AYE... WUNNER WHA'D MEBBE WANT TAE COME?

HMM...

Sae noo Rowley's probably awa haein an absolute brammer o a time, and aw the while I'm daein five-hunner-piece jigsaws in ma granny's basement.

I dout ma Maw feels guilty we hivnae got the money tae gang onywhaur guid this summer, sae she's been tryin tae mak up for it.

She says we can gang onywhaur we want if we jist use oor imaginations. But if I'm bein honest, that's no really daein the job these days.

I dout ma Maw's had it up tae HERE an aw, cause last nicht she cawed a "faimily meetin" efter denner tae kick aroond ideas for holidays we can afford. Thing is, but, awbody's got their AIN idea o whit a rerr terr looks like.

Ma Da wants tae tak a hurl roond a load o Civil War battlefields and tak pairt in a re-enactment. But naebody else wis up for gaun aboot in scaudin-hot scants in the middle o August.

Manny wants tae gang tae the Animal Safari, whaur we used tae gang aw the time when I wis wee. But the animals there ayeweys seem that DOWIE, especially thon cuddy they pentit tae look like a zebra.

Ma Maw says we could save money by steyin close tae hame and gaun tae places in oor ain community. But I've been on that mony schuil trips, I awready ken this toon back tae front.

CUNDIE-WATTER TREATMENT WORKS

The anely yins that agreed on whit we should dae were me and Rodrick. We baith wantit tae gang tae the Birls and Dirls theme pairk, and that'd be CHEAP seein as how ma Granny jist got hauf-price coupons through her letter-box.

BIRLS & DIRLS

1/2 AFF TICKET

Forby, they jist opened up a new roller coaster cawed
LoanLowper that's meant tae be the BERRIES.

Ma Maw telt us the rides at Birls and Dirls are ower
scary for Manny, sae she said we could mebbe gang tae
Peerietale Toon, whaur the rides are for aw ages. But
me and Rodrick never want tae sit through Totey Miss
Muffet's Coorie-In Cairry-On again in aw oor puffs.

Seein as how ma faimily couldnae agree on onythin, I
said we should mebbe aw gang on oor AIN holidays,
and gie a wee talk aboot oor trips when we got back.

Ma Maw said the hale point o gaun on a faimily holiday
is that ye dae things THEGITHER. She says that
wan day aw us bairns are gonnae skedaddle, and
time's rinnin oot for us tae mak happy memories as a
FAIMILY.

But it's gonnae tak a MIRACLE tae gie THIS faimily
a chance at some happy memories, I'm tellin ye.

<u>Monday</u>

We finally wirked oot a wey we could afford tae gang on a faimily holiday this summer.

Setturday nicht there, ma great-granny Grandmaw phoned ma Da and asked if he could get shot o Uncle Gary's caravan, that's been sittin in her drivewey this past twa years.

She says ma Uncle Gary ran awa tae jine the circus, and she douts he'll no be back onytime soon.

At first ma Da wis RAGIN, cause he's aye haein tae clean up efter ma Uncle Gary. But ma Maw said the caravan wis the answer tae oor holiday problems.

Ma Maw said the reason holidays are that dear is cause steyin in hotels and eatin at restaurants costs an airm and a leg. She said the caravan wid sort us for BAITH thae things.

Then ma DA got taen up wi it, an aw. He said we could hit the road and stap for the nicht whenever we FELT like it, and we could cook oor ain denners, forby.

Nae kiddin, me and ma brithers were that desperate tae get oot o ma Granny's basement that we'd hiv said aye tae jist aboot ONYTHIN.

Ma Maw says we'll hae a wheen o adventures alang the wey, and noo I'M kind o lookin forward tae this trip, masel.

In fact, I'm actually feelin a wee bit sorry for ROWLEY. Cause while he's stuck in some glaikit museum in the middle o naewhaur, I'm gonnae be awa daein somethin pure GALLUS.

This last twa days, we've been sortin things for oor holiday. And I'm a bit feart ma Maw's gonnae try tae turn it intae some kind o schuil trip.

But honestly mun, the last thing ye'll catch ME daein is LAIRNIN onythin.

<u>Wednesday</u>

The morn, we went doon tae the shop and got oorsel hunners o scran for the trip. Then we went tae the muckle campin shop tae get AWTHIN else we're gonnae need.

I wis rinnin roond the hooses, cause we've never actually BOCHT onythin at a campin shop afore. Ma Da used tae tak me and Rodrick there when we were wee, but that wis jist for somethin tae dae o a Setturday morn.

When we got tae the shop the day, ma Da went roond and grabbed some basics, like lanterns and flasks and campin chairs.

But I went straicht tae the end o the shop wi aw the tap-o-the-line gear. Cause the wey I see it, if we're daein this thing, we're daein it in STYLE.

I picked oot a blaw-up couch and hikin buits wi wee fans built intae the heels, forby this solar-pouered blender that can turn oot a cherry slushie in nae time flat.

Ma Da said thae things wirnae for yer SERIOUS
campers, but, and I'd tae pit them back.

Ma Da said we're gonnae "live aff the land" as faur as
we can on this trip, and he picked oot a couple o fishin
rods. Weel, I cannae speak for onybody else, but ye'll
no catch me eatin a fish that came frae onywhaur but
the FREEZER.

I dout Manny and Rodrick were richt up for the idea
o catchin oor ain scran, cause they dottit aff tae find
their AIN equipment.

But ma Maw huckled them afore they got cairried awa
wi theirsels.

Rodrick's lip wis trippin him, but. I dout he'd his hert
set on daein some big-gemme huntin while we were awa
sae we could dae up the kitchen wance oor hoose is
ready.

Efter ma Da feenisht shoppin, he wis aff tae the check-oot. But I dout ma Maw wis feart that we were gettin aw the wrang stuff, cause she asked wan o the sales gadgies tae hae a deek and see if there wis onythin else we needit.

Weel, this loon could hae written a BOOK aboot how tae survive in the widds, cause he had pure HUNNERS tae say. And nane o it gied me a guid feelin aboot gaun awa on a campin trip.

The shop guy said the nummer wan thing we needit tae think aboot wis BEARS, cause the places we're awa tae are jist hoachin wi them. But he telt us a few things we could dae tae gie oorsels hauf a chance, at least.

The guy said it wis gey important that we mindit tae aye tie oor rubbish up and hing it frae a tree, sae the bears couldnae get tae it. Then he said that if we wantit tae play it double DOUBLE safe, we should buy this bottle o wolf pee and skoosh it aroond oor camp at nicht tae fricht the bears awa.

I dinnae ken whase job it is tae COLLECT the wolf pee, but I dout I'd better stairt gettin decent mairks at schuil, jist sae it disnae wind up bein ME.

The shop guy said the ither thing tae watch oot for wis wee beasties like midgies and muck-flees, sae we should ayeweys slap on tons o flee spray.

I wis richt on board wi THAT idea, cause wan time Albert Sandy telt awbody at oor denner table aboot this bairn that went tae sleep ootside and got sooked totally DRY by a muckle midgie. And that's naebody's idea o a guid time.

I wis stairtin tae get a wee bit fleggit when the shop guy telt us awthin ELSE we'd tae get. He said we'd need a first aid kit in cause onybody took a bad turn, and watter-proof matches in case oor stuff got drookit.

Forby, we'd need a compass if we lost oor wey, and a snakebite kit if somebody got bit, and a flare gun for if things REALLY went doonhill.

By the time he'd shut his yap, I wis aboot ready tae greet. And if I'm bein honest, ma Granny's basement didnae seem THAT bad ony mair.

I dout the loon at the campin shop got ma Da kind o wirked up, cause wance we'd peyed for oor stuff, we were aff like a SHOT. We were haufwey up the road afore we realised Rodrick wisnae wi us, and we'd tae gang BACK.

Efter that, we drove tae Grandmaw's hoose tae pick up Uncle Gary's caravan. I dout ma Da thocht it'd be pure spotless, but inside it wis an absolute MIDDEN.

I mind ma Da tellin me that when Uncle Gary got his first motor, he used tae keep a load o rubbish inside sae's naebody wid want tae HAUF-INCH it. Weel, I dout ma Uncle Gary had the same notion when it came tae the caravan.

We spent the hale efternuin reddin it up, and I wis hauf-expectin the last thing we'd howk oot frae the rubbish tae be ma Uncle Gary HIMSEL.

Wance we'd got aw the rubbish hoyed oot, we were finally able tae get a guid shuftie roond the caravan. Ye could see how ma Uncle Gary wis able tae bide in there for twa years, cause it had everythin a body could ever NEED.

Ye had yer cooker, yer jaw-box, yer kitchen table, and yer wee fridge. Forby, there wis a cludgie wi a shooer in it, and some extra space on tap o the cabin for sleepin.

We gied awthin a guid dicht, but every time we'd feenisht muckin things oot, we'd find somethin else ma Uncle Gary had left ahint.

And I'm no tryin tae be funny or that, but I pure howp ma Uncle Gary has bocht some new punders since he flittit.

Efter Grandmaw gied us some pieces tae tak wi us, we hit the road.

BEEP BEEP

When we stairtit oot, ma Da wis pure BEAMIN aboot the caravan. He said that seein as he can wirk onywhaur he wants, noo, we could live on the road until oor hoose is sortit, or mebbes even LANGER.

Then ma Maw pit her oar in. She said we could traivel roond the country and film whit we were daein, and end up as wan o thon weel-kent faimilies aff the Internet.

Fair play, I wis gettin richt intae the hale caravan thing masel.

Maistly, I jist thocht it wis smashin that I could use the lavvy while we were beltin doon the motorwey.

The anely thing I wisnae keen on aboot Uncle Gary's caravan wis that it hidnae ony seat belts in the livin space, which wis kind o a scunner whenever ma Da hit the brakes.

Wance traffic slowed doon, ma Maw let Manny sit up the front seat, sae's he could kid on he wis drivin. But I dout she realised it wisnae a guid idea when he stairtit gettin in aboot the horn.

It wis braw bein oot on the open road, but efter a while everythin stairtit tae look kind o the same. Sae me and Rodrick went on oor phones, jist for somethin tae dae.

Efter aboot an oor, ma Maw said we'd had plenty o screen time for noo and we needit tae come aff oor phones for a bit.

Maist o the time, when ma Maw tells us we've had oor screen time, we'll tak a wee break. Then, as soon as she's no lookin, we'll jump straicht back on. Efter a while she gets that fed-up wi checkin us she jist gies up. That's whit we thocht wid happen the day.

BLEEP
BEEP
BLIP

But it turnt oot ma Maw wisnae messin aboot on this trip. When we went back on oor phones, she drapped them intae this wee plastic box that had a timer on the tap.

🔒 2:00

PLANK

The meenit I saw thon thing I kent whit it wis,
cause I'd seen the advert in wan o ma Maw's magazines
for parents.

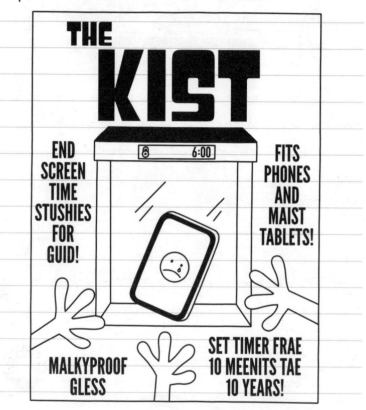

Ma Maw set the timer tae twa oors, then went back
tae her seat up front. Whaever made thon thing kent
whit they were aboot, cause me and Rodrick couldnae
open it for the life o us.

Ma Maw haundit oot some activities she'd made up for the trip and said that wid gie us somethin tae dae. But ye dinnae get awfy faur wi Wildlife Bingo when ye cannae even tell whit hauf o the animals by the road-side USED tae be.

Efter anither oor or twa o drivin, ma Maw and Da stairtit lookin for places tae stap.

There were some signs for "bonnie views", sae ma Da pullt ower at the exit for this place cawed Cochrane's Cleuch.

Ma Maw wis aw hyped cause she said we were like explorers that were gonnae see somethin new. Thing is, but, some ITHER explorers had beat us tae it.

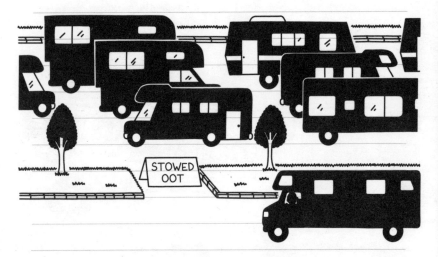

STOWED OOT

We couldnae find onywhaur tae pairk, sae we'd tae keep gaun. And it wis the exact same story for the next three places we tried tae pull ower.

I ken I should be gled tae be alive at a time when there's modern medicine and smairt-watches and daurk chocolate teacakes. But sometimes I wish I'd been born a wee bit EARLIER, jist sae I'd had a shot at actually DISCOVERIN somethin.

Cause when ye airt oot somethin new, they NAME it efter ye.

But by noo, everythin that's wirth lookin for's awready been discovered.

And ye widnae want tae pit yer name tae ony o the guff that's left.

Wan time, the planetarium in oor toon had a fundraiser, and if ye gied them ten quid, ye got a certificate that said a planet in a galaxy faur-awa wis named efter ye. Sae ma Maw haundit ower the tenner, and I've still got the certificate up on ma bedroom waw.

Planet H1-B9932 in the Teuchterus Galaxy will frae noo on be kent as PLANET GREG

But when ma Maw filled oot the form, I wish she'd pit ma first AND last name on it. Cause noo ony random Greg could stoat up tae ma planet afore I dae and let on it's HIS.

Ma Da said the problem wis that we were gaun tae places that awbody kens aboot, and that if we got aff the main road, we'd mebbe end up somewhaur STOATIN.

Sae we went doon the back roads and kept oor een open for onythin that looked like it micht be wirth stappin for.

And shuir as guns, efter we took a couple mair turns, we got tae this skyrie-shinin loch wi naebody else in SICHT.

The air-conditionin in Uncle Gary's caravan wis knacked, and awbody wis needin tae cool aff. Sae we flung on oor swimmin trunks and went for a dook in the loch.

It wis a wee meenit afore I realised somethin wisnae RICHT. I got a swatch o thoosands o hingmies skinklin jist aneath the watter, and the first thing I thocht wis PIRANHAS. I dout awbody else thocht the exact same thing, forby.

I'd jist aboot got tae the shore when I felt a wheen o totey mooths NABBLIN on me.

I thocht I wis gettin eaten ALIVE. And by the time I made it oot o the watter, I wis surprised I wishae missin some body pairts.

Weel, HAIRDLY ony. I'd had a scab on ma knap when I got intae the watter, but by the time I'd got back oot it had been totally picked AWA.

Jist then a truck pullt up, and the twa loons inside it looked BEELIN.

That's when we fund oot the loch we'd been swimmin in
wis a FISH FAIRM.

I dout thae guys were aboot tae phone the polis on us
for TRESPASSIN, but we wirnae for hingin on tae
fund oot. Sae we piled intae the caravan and ma Da
hit ninety.

The next time ma Maw maks fish for denner, I'm
pure gettin a swatch at the packet first tae see
whauraboots they came frae.

The mental thing wis, thon fish fairm wisnae the
FIRST place we'd got a chasin frae thon day. We'd
tried pairkin the caravan in a field sae we could get oot
and tak in the sichts while we were eatin, but it turnt
oot tae be somebody's FAIRM.

It took us lang eneuch, but we foond a field that
didnae look like it'd been claimed by onybody, and that's
whaur we stapped for the nicht.

The sleepin situation wisnae the best. The kitchen table foldit oot intae a BED, and that's whaur ma Maw and Da slept.

It gied me the boke eatin ma breakfast aff the same bit whaur ma Da'd been doverin in his punders.

I'd tae share the space up ower the cabin wi Rodrick, which wis aboot as bad as the sleepin arrangements in ma Granny's basement.

The anely yin o us that had some room tae himsel wis Manny. He'd turnt wan o the kitchen cabinets intae a wee but 'n' ben, and the hale set-up wis actually kind o GALLUS.

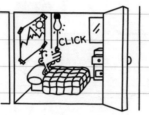

While ma Maw and Da were sortin themsels for bed, I foond oot wan o the doonsides tae the caravan. The lavvy waws were paper-thin, and wi the engine aff ye could hear EVERYTHIN gaun doon in there. And I'm tellin ye, nae bairn wants tae hear whit his maw gets up tae in the cludgie.

<u>Thursday</u>

It turns oot the place we stapped for the nicht wis a public pairk. Bairnie Basebaw wis on first thing this mornin, and we were parked richt ower the pitcher's moond.

We managed tae hit the road afore some wean panned oor heidlichts wi wan muckle swing.

Ma Maw said she disnae want a repeat o yesterday and asked awbody tae think o somethin we could dae that'd definitely be GUID. And that's when I mindit a poster I'd seen the ither day.

The poster wis for this place cawed the "Faimily Caw-Cannie Cavalcade". Noo, usually when the wird "faimily" is in there, it's a reid flag tae stey weel awa. But the photies on the sign made me think this place could be DIFFERENT.

We'd tae double back on oorsels for aboot twa oors tae find the cavalcade, but it wis nae odds seein as we had naewhaur else tae gang onyweys.

Nae kiddin, but, the place wis no bad at aw. There wis hunners o things tae dae, and I wantit a shot on them AW.

But awthin there had a cut-aff for bairns that are ower young or ower wee, and Manny wisnae muckle eneuch tae dae ONYTHIN decent.

The anely ride Manny wis alloued on wis the Coble Cauld, whaur ye float doon the river in rubber rings. Sae that's whit Maw signed us up for.

I really wantit tae dae something mair excitin, like rock climbin, but ma Maw's mind wis made up that we were aw daein somethin as a faimily.

Ma Maw said the Coble Cauld wid be CHILLED-OOT, and efter we pit on oor life jaikets, we got thegither oor cooler and a couple o ither things frae the caravan tae tak oot ontae the watter.

BIRL
BIRL

Efter whit happened wi the fish fairm the ither day, I wisnae fawin ower masel tae lowp back in the watter again. But there wis a hantle o ither fowk daein the Coble Cauld forby, and I thocht, weel, if there wis ony piranhas dottin aboot, they'd hiv went for THEM afore they went for ME.

And fair's fair; wance we got gaun, it WIS kind o relaxin. Mebbes even a bit OWER relaxin. Rodrick drapped aff, ma Da did his wark emails, and ma Maw checked in wi Manny's G.P.

Sae naebody wis takkin ony tent when we hit a shallae pairt o the river and came tae a deid STAP. We'd tae tak oor rings oot the watter, and it wisnae great strampin across a load o jaggy stanes in oor bare feet.

Wance the river got deeper, we pit oor rings back in the watter. But ma rubber ring must hiv got burst in the shallae bit, cause aw the air wis comin oot. Sae I got Manny's ring, and we cowped the ice oot o the cooler sae he could float in THAT.

I thocht the hale thing wid tak twinty meenits, but it'd been twa OORS by then, wi nae end in sicht. And we really drapped a couple o gears when we got stuck ahint a muckle bourach o fowk takkin up the hale river.

I hit a warm bit in the watter, and I've been in eneuch bairnie pools tae ken whit THAT means. Sae when the river got wider I paddled ma ring aroond thae bampots tae try and get oot o their wake.

PLISH

PLOSH

Thing is, but, I went a wee bit ower faur and landed up in a pairt o the river whaur the watter wis GEY roch. Afore I kent whit wis whit, I'd got cowped oot o ma rubber ring.

Bein honest, I wis actually kind o FEART. The watter wis rinnin awfy fast, sae I turnt roond feet-first jist tae mak shuir I didnae tan ma heid open on a rock.

I shoutit oot for HELP, but the fowk aroond me had their tunes up ower lood tae hear me.

Ma faimily tried tae save me, but they'd honestly hiv been as weel jist leavin me tae it.

Up aheid, fowk wir howkin their rubber rings oot the watter in the landin area, sae I tried tae paddle ma wey ower there.

But the watter wis rinnin ower fast, and I wis gettin huckled doonstream. Ma faimily got oot o the watter, and ma Da wis shoutin and pointin at somethin next tae me. That's when I saw a muckle brainch hingin oot ower the watter, and I grabbed for it.

Jist for a meenit, I let masel think the warst wis ower. Then I noticed somethin driftin awa frae me and realised it wis ma TRUNKS.

Wan o the lifeguairds stairtit plowterin oot efter me wi a life preserver. And I kent that if I jist kept hingin ontae thon brainch, she'd get me OOT.

But aw I could think aboot wis the fowk in the landin area that were aboot tae see me in the scud. And Rodrick wis awready filmin the hale jingbang on his phone.

Sae there wis anely wan thing I could dae. I decided tae let GANG o the brainch and tak ma chances.

Turns oot the watter wisnae as rocky doonstream, but it wis still movin gey fast. By the time I wis able tae drag masel oot the watter, I must hae been aboot hauf a mile frae the landin area. And I never did find ma swimmin trunks, but at least I foond the COOLER, eh.

<u>Friday</u>

Last nicht, the hale faimily agreed that oor trip wis aff tae kind o a bowfin stairt. But we couldnae decide whit tae dae NEXT.

I thocht we should jist admit the hale THING had been a deid loss and gang back ta ma Granny's. But ma Da said we couldnae turn back noo cause we hidnae even done ony actual CAMPIN yet.

Ma Da said there wis a national pairk a few oors frae here, and if we camped there, we could stey in wan place for the rest o the trip and tak things easy for a chynge.

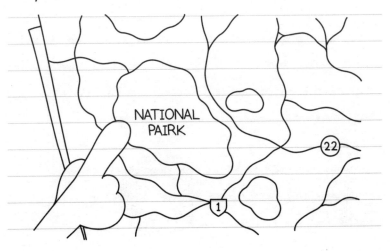

I wisnae awfy keen on us settin oot on oor tod, but I kent whit the score wid be for the rest o the summer if we went back tae Granny's basement noo.

I wis kind o gettin the cauld creeps aboot campin oot in the widds, but ma Da said that if we got intae ony bather, there'd be rangers aroond that'd help us oot. And that made me feel a wee bit better.

Sae we spent the nicht in the caur-pairk at the cavalcade, and first thing in the mornin we made tracks for the national pairk.

The ranger at the front gate telt us it hidnae rained in a wee while, sae we'd tae watch oot no tae stairt a forest fire. Then she gied ma Da a map and a wee leaflet wi tips on how tae be a guid camper.

The pairk wis awfy muckle, sae it took us a wee while tae get tae oor campsite. And we didnae pass wan ither punter aw the wey in.

The campsite wis actually richt smairt. There wis a muckle space for the caravan, and we were richt next tae a wee burn. Efter we'd set up oor hammocks and chairs, we pit oor feet up and enjoyed bein oot in naitur.

Weel, MAIST o us did. Efter a few meenits, ma Maw asked ma Da whit the "plan" wis, and ma Da said this WIS the plan.

Ma Maw said we couldnae jist sit on oor bahookies AW day, and that we needit tae dae somethin ACTIVE, like gang on a nature trail or that.

Weel, that soonded like a lot o wark tae us loons, especially efter a lang drive. Sae ma Maw said that if we were gonnae jist sit there, she wis pittin aw oor devices in The Kist for the rest o the trip. That got us up aff oor humphs.

Ma Maw whipped oot a map and fund a trail that wis nearhaun. And afore we set aff on the hike, she telt us aw tae fill up oor flasks and pit on loads o flee spray. But it wis BEARS that I wis fashed aboot, no beasties.

I mindit that the loon in thon campin shop telt us that if ye see a bear oot and aboot, the best thing ye can dae is mak a load o dirdum tae scare it awa.

I wis gled Uncle Gary had left some pots and pans unner the jaw-box in the caravan. But I wisnae aboot tae wait until a bear had GOT us tae stairt makkin a rammy.

That got on awbody's wick efter a meenit, and ma Maw telt me I'd tae tak the pots and pans back tae the caravan.

She said I could catch up wi them a wee bit doon the trail, and that wis awricht wi me, cause thae pots and pans were a ton-wecht, onywey. Forby, I wis stairtin tae wunner if aw the stushie wid mebbe ATTRACT the bears, cause whenever I hear pots and pans, I'm thinkin DENNER.

Efter I stashed the stuff back in the caravan, I turnt roond and got back on the trail. I thought if I got a move on it'd mebbe tak me ten meenits tae catch up wi the lave o them. But then I ran intae kind o a FANKLE.

The trail SPLIT, and I wisnae shuir whit wey ma faimily had went.

It wis eeksy-peeksy either wey, I thocht, sae I went LEFT. But I walked for pure ages wioot seein them, and I thocht mebbe I'd picked the wrang wey. Sae I went back tae the place whaur the trail split in twa, and that's when I realised I wis ontae PLUMS.

By noo I couldnae tell ma heid frae ma hin-end, and I couldnae mind whit wis the path I hidnae tried and whit wis the wan that went back tae the caravan. I'd no a SCOOBY cause, tae me, aw the rocks and trees jist looked the SAME.

That's when I stairtit gettin up tae HIGH-DOH.
I mindit the loon at the campin shop sayin that
sometimes bears will use human trails cause it's easier
than strampin aboot in the bushes. Sae I didnae
feel awfy guid aboot hingin aroond in the middle o a
CROSSROADS.

I read wance that a bear's neb is a thoosand times
shairper than a human's. Sae when I pulled oot the
thingmy o lip balm I had in ma pootch, I nearly had
a hert attack.

ORGANIC
HINNIE-BEE
LIP BALM

I decided tae get aff the trail, which turnt oot tae
be kind o a minter. Cause wance I wis aff the path,
I couldnae find ma wey BACK.

Ma mind stairtit racin, and I thocht aboot whit wid
happen if I wis lost for GUID.

I've read stories aboot fowk that got cut aff frae civilization and were brocht up by WOLVES. I didnae ken if there were ony wolves in these widds, but the place wis HEAVIN wi squirrels.

Jist as weel ma faimily fund me afore things got OWER mental. Cause in an anither oor or twa, I micht hae been oot the gemme awthegither.

Wance we got back tae camp, ma Maw telt Rodrick tae check me for ticks seein as I'd been aff the trail. He gied me the wance-ower and telt me I had a MUCKLE yin richt in the middle o ma back.

Rodrick said the tick must hae been on me for a while, cause it wis aboot ready tae BURST. And when he showed the photie he'd taen on his phone, I jist aboot drapped doon deid.

It turnt oot it wis a JOKE, and the photie wis somethin Rodrick had got aff the Internet. But even efter I KENT it wis a joke, I still felt as if somethin wis in the middle o ma back for the rest o the day.

Ma Maw said awbody'd tae jump in the shooer, seein as it had been twa days and we were aw stairtin tae honk. Rodrick went first, and he wis in there aboot hauf an oor. Sae wance it wis ma shot, there wisnae ony hot watter left.

Ma Da checked the gas tank and said it wis done, and that meant cauld shooers frae noo on. Awbody's faces were trippin them, but especially ma MAW'S.

I noticed it wis pure stairtin tae REEK in the cludgie, sae I telt ma Da. He said that wis nae wunner, cause we hidnae emptied the sewage tank yet.

If I'm honest wi ye, I hidnae even THOCHT aboot whit happened tae aw the keich in oor caravan.

When ye flush the lavvy in yer hoose, it aw gets wheeched awa tae somewhaur else, jist like magic. But in a caravan, ye're actually cairtin that stuff AROOND wi ye.

If I'd kent that frae the stairt, I'm no shuir I'd hae signed up for this trip.

SLOOSH

Noo I wis stairtin tae wirry whit wid happen if the tank got full tae BURSTIN. Sae the day, whenever onybody looked like they needit a tollie, I'd try tae talk them intae daein it somewhaur ELSE.

I dout I should be gled we bide in a time whaur cludgies even EXIST. Rodrick telt me that the loon wha cam up wi the flushin lavvy wis cawed Thomas Crapper. I dinnae ken if that's true or it's jist his idea o a joke.

If it's TRUE, I howp thon mannie made a wheen o money. Cause I widnae want a bodily function named efter ME.

Ma Da got a fire gaun and biled us some stovies. We were gonnae hae some baked beans alang wi it, but Rodrick had left the tin ower near tae the fire, sae that wis oot the WINDAE.

Efter denner, we tied up oor rubbish and heezed it intae a tree wi a rowp, jist like the campin shop loon telt us tae. And if there wis ony bears smairt eneuch tae get it back doon frae there, weel, at least they'd hae earned it.

By noo it wis daurk gettin, and ma Maw said we should get tae oor beds. But ma Da said the best pairt o campin wis sittin aroond the campfire unner the staurs.

Weel, that got ma Maw aw GAUN, and she tried tae get us tae jine in wi a sang she lairnt at summer camp when she wis a bairn. But the rest o us arenae that intae sing-alangs, sae we jist waitit for ma Maw tae get it oot her system.

Efter thon, ma Da howked oot some marshmallaes, and we looked for some lang sticks.

While we were toastin oor marshmallaes ower the fire, ma Da got awfy dour. He telt us that ages and ages ago, he went campin wi his Da, and they met this bauchled auld ranger wha telt them an unco story.

The ranger said he used tae hae a beagle cawed Maisie, and she'd follae him whaurever he went. But then wan nicht the ranger made a FIRE, and he saw an oorie craitur wi leamin reid een creepin aboot at the edge o the camp.

Maisie chased efter the craitur, and the ranger follaed her deep intae the widds. But aw that he ever fund o the dug wis her broken collar sittin on the grund.

Ma Da said that every nicht the ranger went tae sleep in his cabin on his ain, howpin Maisie wid find her wey back tae him. And on nichts jist like the nicht, when there wis a crescent muin, he'd hear the yowl o a beagle deep in the widds.

AROOO

Ma Maw wisnae chuffed wi ma Da for tellin thon story, cause Manny stairtit lossin the heid. And tae be honest, I'd got the heebie-jeebies masel.

Then I heard this soond frae deep in the widds that made ma hert gang like THAT.

For a wee meenit, I thocht it wis the ghaist o Maisie. But then I realised Rodrick wisnae there, and the hale thing wis jist a muckle joke him and ma Da were pullin on the rest o us.

But it kind o boonced BACK on them. Cause when Rodrick yowled, Manny JUMPED. And that's how ma Da endit up wi a burnin marshmallae stuck tae his knobbly knap.

I dout ma Da wis aboot tae lowp in the burn tae pit the fire oot, but it wis jist jammy that Rodrick mindit whaur we kept the fire extinguisher.

Ma Maw stairtit giein ma Da a shirrackin aboot how ye shouldnae wind fowk up like that, but she got cut aff by some unco noises comin frae the trees. At first I thocht it wis mebbe anither JOKE, but the look in ma Da and Rodrick's een telt me it WISNAE.

Whitever wis oot there soonded awfy MUCKLE, and it wis comin oor wey. Sae we piled intae the caravan and snibbed the door ahint us.

Nae nae kiddin, it wis a BEAR. But it wishnae oor rubbish it wis efter, it wis the BAKED BEANS.

Wance the bear wis done lickin the beans aff the caravan, it wantit MAIR. And I wish I could say we'd kept the heid, but I'm no gonnae lie tae ye.

Ma Da lowped intae the driver's seat tae get us OOT o there, but the keys were oot by the fire. And when the bear stairtit SHOOGLIN the caravan, I thocht that wis the END o yer auld pal Greg.

I dout Manny thocht the same, cause he managed tae scrammle oot the windae and get up ontae the ROOF. And he'd taen the flare gun WI him.

Setturday

Last nicht, the licht frae the flare scared aff the bear, sae when the ranger got tae oor campsite, we wirnae really needin RESCUED ony mair. By then, oor main problem wis the marshmallae scaud on ma Da's knap.

The ranger said it wis pure glaikit for us tae let aff thon flare, cause it could hae stairtit a forest fire. Then she said we were gettin the heave-ho oot o the pairk first thing the morra mornin.

Weel, that wis nae skin aff MA neb. We'd lasted wan nicht in the wilderness, but I didnae fancy oor chances o survivin ANITHER.

When we left the pairk this mornin, I wis jist lookin
forrit tae gettin back tae ma Granny's basement. At
least there I kent we'd hae hunners o hot watter and
nae BEARS.

But ma Maw wisnae ready tae jack it in yet. She said
the reason we'd had a scunner o a time campin wis cause
we were aw on oor AIN, and if we went tae a place
whaur there wis ITHER fowk, it'd be a lot better.

Ma Maw telt us she'd heard aboot these caravan pairks
whaur they've loads o things for faimilies tae dae, and
awthin ye need is aw in wan place.

The she stairtit lookin up caravan pairks nearby, and fund yin that looked like the verra dab.

Weelcome tae Paradise

CAMPERS' EDEN

LUXURY CAMPGRUND

42 acres o stoatin grunds jist aff the motorwey

Accomodations for aw budgets!

FAIMILY FUN AT THE RICHT PRICE!

Check oot oor swimmin pool!

PETS WEELCOME!

Whit really lowped oot at me wis the wird "luxury". Efter gettin a shot at "real" campin, I wis up for somethin a wee bit mair FANTOOSH.

I kent frae Sunday Schuil that "Eden" wis jist anither wird for paradise, sae that soonded no bad tae me.

If I'm mindin it richt, Adam and Eve got the heavy dunt frae the Gairden o Eden cause wan o them chored an aipple aff a tree they'd been telt no tae touch.

Nae danger ye'd hae seen ME giein up paradise for a foostie wee aipple. It'd hiv needit tae be somethin MINTIT, like a deep-fried Mars bar.

It took us maist o the day tae get tae Campers'
Eden. But when we crossed ower the brig and got oor
first swatch at the place, ye could see straicht aff how
they'd cawed it that.

We pulled up tae the ludge and went in. The wumman wirkin there telt us aboot aw the stoatin stuff they had at the campgrund, like a gemmes room and a pool and horseshoe pits, and a loch wi canoes and kayaks as weel.

Forby, there wis a bath-hoose whaur ye could tak a hot shooer. Ma Maw wis rinnin roond the hooses aboot THAT.

And I wis awfy gled that every campsite had its ain sewage hook-up. The inside o oor caravan wis stairtin tae honk like a monkey hoose, and I wis gey lookin forrit tae gettin oor sewage tank flushed oot.

Ma Maw telt the wumman that we wantit a campsite wi a view o the loch. But the wumman said aw thae spots were booked oot WEEL aheid o the gemme, and the anely spots left were in the budget lot.

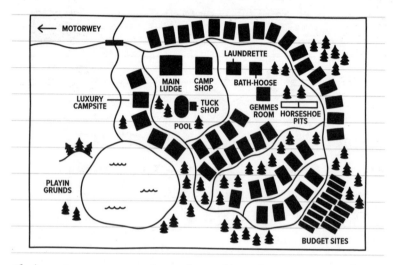

I dout ma Maw wis fixated wi thon shooer, cause she said we'd tak ONYTHIN they had gaun. And wance we'd peyed up for the week, we drove oor caravan doon the brae tae find oor site.

The faurer doon the brae ye went, the smawer the campsites got. And when we fund oor spot, ma Da could hairdly fit oor caravan intae thon totey wee space.

Wance we'd pairked, ma Maw humphed oot the campin chairs while ma Da tried tae suss oot how tae empty the sewage tank. I didnae want tae be onywhaur NEAR him wance he'd got that stairtit, sae I telt ma Maw and Da that wis me awa tae hae a wee swatch aroond the campgrund.

I wis keen on seein the gemmes room, sae that's whaur I heidit first. There wis a couple o arcade machines in there, but naethin I could be bathered playin.

They'd a pool table forby, but faur as I could see it didnae hae ony actual BAWS.

I checked oot the swimmin pool next, but that wis kind o a let-doon, tae. It wis hoachin wi wee bairns, and their maws and das wirnae even watchin them.

Nooadays, bairns hiv got watter wings and aw that, sae they dinnae even hiv tae lairn how tae swim. It's no like it wis when I wis wee, and ye lairnt things the HAURD wey.

HEIDS!

Some o the wee bairns driftit oot intae the deep
end, which wisnae the best cause there wis fowk daein
cannonbaws aff the high dive.

There wis nae lifeguaird aboot, sae awbody wis jist daein mair or less whitever they WANTIT.

I didnae really feel safe gaun in the pool, sae I decided tae hae a dook in the hot tub insteid. But that's when I fund oot they wirnae kiddin aboot the hale "pets weelcome" bit.

There wis a tuck shop oot by the pool, and the laundrette and the bath-hoose were nearhaund.

I wanted tae kill a bit mair time afore I went back tae the caravan in case ma Da wisnae done flushin oot the sewage tank. Sae I'd a wee daunder past some o the ither campsites, jist tae see whit they were like.

The brawest yins were the luxury campsites that looked ower the burn. Thon fowk had satellite dishes and fantoosh grills, and they had actual GAIRDENS that they looked efter.

RRRRR

CHACK
CHACK CHACK

I got the feelin the luxury campsite fowk wirnae keen on us budget punters hingin aboot their gairdens, but, sae I shot the craw.

The spots faurer doon the brae wirnae as bonnie, but every row wis kind o like its ain wee scheme.

Wan o the rows had a wheen o aulder gadgies in it, sae I dout that wis the area for retired fowk. A few rows doon were the faimilies wi wee bairns.

Some o the rows had THEMES, and fowk kind o went aff on wan when it came tae decoratin.

A few fowk anely had wee mini-caravans, and I wis gled as onythin that Uncle Gary hidnae stuck us wi wan o THEM insteid.

But then ither fowk didnae hae caravans at aw. There wis wan campsite that looked like it had a hale biker gang on it, and I wis that gled we didnae wind up next door tae THAE radges.

But it'd hiv been even WARSE if they'd planked us in the "pets weelcome" row. Thon place wis like Embra ZOO.

I kent when I wis gettin nearer tae the budget row cause the campsites there were aw squashed up thegither, and fowk had tae mak the maist o every last inch.

CHUCK

When I got back tae the caravan, ma Da wis makkin some hot dogs on the grill. I wis aboot tae ask him if he'd washed his hauns efter flushin the sewage tank, but I didnae want tae set him aff again.

Ma Maw wis tryin tae get tae ken some o oor neebors, but they seemed like the kind o fowk that like tae keep themsels tae themsels.

Wance ma Da wis done cookin, we sat at oor picnic table tae wire in. But the fowk on the ither side o us were playin skittles on their roof, and there wis somebody up there that couldnae hiv hit the grund wi a stane.

PLUNK

While we were dichtin up the guddle, I telt ma Maw and Da that I thocht comin here micht hae been a bit DOITIT. But ma Maw said it sometimes taks a wee while tae get used tae a new place, and I jist needit tae gie it a chance.

Then she mindit me that we hidnae even been doon tae the loch yet, and that wid be the best bit. I wis aboot tae let her ken whit I thocht o THAT when I got cut aff by a noise comin frae ower by the main ludge.

It soonded like wan o thae air-raid sirens ye hear in war films when the enemy bombers are comin, and it gied me the shooglie-wooglies.

Oor next-door neebors were fleggit as weel, cause they got aw their stuff thegither tae tak back intae their caravan.

When ma Da asked whit the siren wis for, oor neebor said that it meant there wis a SKUNK stoatin aboot somewhaur, and awbody needit tae get ben their caravans PRONTO.

Weel, we didnae need tae be telt TWICE. We snecked oor door and keeked oot the windae while we were waitin. And shuir as ye like, a few meenits efter, a skunk came sniffin aroond oor campsite.

SHUFFLE

It lowped up ontae the picnic table, and when it stairtit diggin in tae oor hot dogs, there wis hee-haw we could dae aboot it but WATCH.

RAMSH
RAMSH

Wance the skunk wis finished eatin, it wis OFFSKI.
Efter a while, the siren stapped and awbody went
back ootside. And even though the skunk wis AWA,
the hale campsite wis absolutely MINGIN.

Ma Da said the reason it wis that bowfin wis cause
there's some kind o chemical in a skunk's glands that
fowk can smell frae a mile awa. And he said if ye got
SKOOSHED by a skunk, it'd be a thoosand times
WARSE.

He said the best thing ye could dae if ye ran intae a
skunk wis back awa gey slow, cause a skunk will anely
skoosh ye if it thinks ye're aboot tae pit the malky on
it or somethin.

Then he said ye ken ye're aboot tae get skooshed if a skunk stauns on its front legs and shoogles its bahookie. But by then it's probably ower LATE.

Rodrick said that a skunk's skoosh isnae jist honkin, it's FLAMMABLE, forby. I dinnae ken if that's true or anither wan o his havers. But if it IS true, wance skunks wirk oot how tae strike a match, aw oor jaikets will be hingin on shoogly pegs.

When God inventit animals, he gied them aw this gallus gear tae defend themsels wi, like shells and talons and cleuks.

But then when the time came tae invent HUMANS, aw the GUID ideas were used up.

I dout God made up for it by giein us muckle BRAINS. But if it'd been doon tae me, I'd raither hiv got the QUILLS.

I dout if somethin as totey as a skunk can scare aff predators by absolutely honkin, then mebbe it could wirk for ME. Sae that's when I decided I'm no gonnae shooer again until I've feenisht high schuil.

I probably shouldnae hae telt ma MAW ma plan, but, cause aw it did wis mind her that I'd jouked haein a shooer the day. Sae noo she's makkin me tak wan first thing the morra morn.

Onyweys, we'd still some hot dogs left in the caravan, and ma Da roastit them ower the fire. But aw I could think aboot wis thon skunk. Sae I wis awready up tae high-doh when aw o a sudden we got SKOOSHED.

But it wisnae a SKUNK that skooshed us. It wis wan o oor NEEBORS. Turns oot 9:00 is "lichts oot" at camp, and fowk aroond here tak thon gey seriously.

Sae we turnt in for the nicht, but I didnae really SLEEP. Cause like I said afore, thon budget campsites were packed thegither gey TICHT.

<u>Sunday</u>

It looks like the hale campsite is early tae bed, early tae rise. We didnae even need tae set oor alarm clocks, cause oor neebors let us ken when it wis time tae get up and runnin.

It's no real, but. Some guy a couple o doors doon wis daein WIDD CAIRVINS at his campsite. I wantit tae gie him his heid in his haunds, but when I saw the chainsaw, I thocht I'd mebbe jist let it drap, for noo.

Efter ma Da got oot o bed, he stairtit cookin pancakes and eggs on the griddle. Ma Maw wis jist gettin back frae the bath-hoose and she gied me the rin-doon on how it aw wirked up there.

She said ye'd tae pey for the shooer wi 10p's, and gied me a few. The she telt me that I needit tae drap by the laundrette and move oor claes frae the washer intae the dryer.

I wis a bit blate aboot the idea o haein a shooer in a public place. When ye bide in a hoose wi yer faimily, the cludgie is the anely place ye get time tae YERSEL. Sae when I'm in there, I'm in ma ain wee warld.

And wance thon door's snibbed, I can dae onythin I've a MIND tae.

But sometimes I get masel in a wee bit o FANKLE in the cludgie. Wance, I nearly stoved ma ribs in kiddin on tae be Spider-Man in the shooer.

When I got tae the bath-hoose, it wis awready pure queued oot. And I got tae ken the ither campers a WEE bit better than I'd been lookin tae.

I thocht the line wid split at the entrance, and the loons wid gang wan wey and quines the ither. But it turnt oot this place wisnae set up like that.

I fund oot the reason the wait wis that lang wis cause there wis anely three shooer staws inside. When it got roond tae ma shot, I pit ma 10p in the coin slot on the staw door, and that got the shooer rinnin.

The hot watter felt BRAW, especially seein as I hidnae had a hot shooer in pure AGES.

But I couldnae really get that intae it cause the staws hardly came up tae yer oxters.

I shut ma een and tried tae let on that I wis on ma
tod. But that wisnae easy tae dae when the wumman in
the next staw stairtit efter a BLETHER.

I decided jist tae gie it a chuck and get on ma wey.
But the shooer stapped afore I'd had time tae rinse
the shampoo oot ma hair.

It turns oot 10p anely gets ye three meenits o hot watter. I tried tae haund the next person in line a 10p tae pit in the slot, but I couldnae get him tae notice me.

Sae I jumped oot the shooer tae pit the coin in MASEL. But I dout that wis jist the opporchancity this wide-o wis WAITIN for.

BEST o it wis, tae, then he stairtit firin in tae MA
shampoo.

I wisnae up for gettin intae a stooshie wi some loon in
the bare-scud, sae I LEFT. But then some soap ran
intae ma ee, and I could hardly see whaur I wis gaun.

I managed tae find ma wey tae the laundrette, whaur there wis a sink. And the watter there wis FREE.

Wance I'd feenisht rinsin the shampoo oot o ma hair, I went huntin for oor claes. But somebody had taen them oot the washin machine and dumped them on the flair sae they could put THEIR claes in.

Efter I stuck oor claes in the dryer, that wis me set. I wis gonnae hing aboot the washin machines and find oot wha dumped oor claes on the flair when they came back tae get THEIRS.

But when I saw wha it wis, I decided jist tae let it drap, wan last time.

Wance I got back tae oor campsite, aw I wantit tae dae wis crawl intae bed. But ma Maw said we were aw gaun doon tae the loch and I needit tae pit on ma swimmin trunks.

I mindit her that I didnae HAE ony swimmin trunks ony mair, and I howped that'd be an end o it. But ma Maw said Rodrick had a SPARE pair, and even though I'm no keen on weirin some ither body's claes, I kent there wis nae point arguin wi her aboot it.

I thocht mebbe if we plashed aroond the loch for a few meenits and actit like we were haein a belter o a time, ma Maw wid content hersel and let us gang back tae camp. But she brocht her camera wi her, sae that wis gemme's a bogey.

This summer, ma Maw's been hackin aboot on social media a lot. And whenever she sees how perjink her pals' faimilies look, she's aye JEALOUS.

Sae then ma Maw will get us intae aw these daft poses tae let on as if WE'RE haein a rerr terr, oorsels. But there must be somethin wrang wi ma faimily, cause we can never get oor act thegither.

The loch looked pure smashin when we got a swatch o it frae the brig. When we got richt up tae it, but, it wis a hale ither story.

I wis expectin the loch tae be clean, like the yin at the fish fairm, but it looked CLATTY tae me. I dout that's cause fowk were usin it for mair than jist SWIMMIN.

BRUSH BRUSH

DICHT DICHT

I thocht fowk were actin kind o radge at the POOL the ither day, but at the loch they were jist gaun pure mad MENTAL.

There wis a rowp swing hingin frae a muckle tree that went oot ower the watter. But ye'd no be catchin me on that thing until it RAINED for a few days first.

There were some rafts kickin aboot in the middle o the loch, and I thocht aboot chorin yin. But I chynged ma mind when I saw whit fowk were usin them for.

There wis a ramp at the bottom o a muckle brae next tae the loch, and I couldnae tell whit it wis for. But I soon fund oot when some laddie launched himsel intae the watter in a tractor tyre.

Ma Maw wantit us aw tae swim, but I wis still kind o wary frae ma LAST dook in a loch. Forby, I dinnae trust ony watter ye cannae see through, onywey.

There wis somethin unco stickin up in the middle o the loch, and I pointit it oot tae ma Da. He said it wis jist a brainch, but it didnae look like a brainch tae ME. Hereaboots, when ye see a bit o somethin stickin up oot a loch, it could be ONYTHIN.

Naebody else wis wantin tae swim either, sae we planked oor stuff doon on the grund. But it turnt oot that a loch shore isnae the same as a BEACH shore, and in nae time flat we were up tae oor oxters in clart.

Ma Maw said we wirnae gaun back tae the campsite until we did somethin GUID. There wis a canoe tied up tae the dock, and she said we should gaun oot ontae the watter in it. Weel, I wis awricht wi bein on TAP o the watter. It wis gettin IN the watter I wisnae mad aboot.

We'd shots each gettin intae the canoe, but it wisnae as easy as ye'd think.

I hunkered doon, like ma Da telt me tae. Rodrick DIDNAE, but, and we nearly cowped ower while we were still tied tae the dock.

Wance we were aw in the canoe, we pit on oor life jaikets and paddled oot ontae the watter. But some fowk swimmin nearby seemed like they were in a richt hurry tae get oot o oor ROAD.

And we wirnae lang findin oot HOW. As soon as we got tae the middle o the loch, somethin MUCKLE came doon richt next tae oor canoe. Then, jist efter that, there wis anither PLASH.

PLOOSH

Some neds up on the brae had turnt a hammock as a muckle CATAPULT, and they were usin us for TAIRGET practice.

That must hiv been how naebody had wantit the canoe.
We tried tae paddle back tae the dock, but the radges
on the brae were gettin nearer and nearer wi every
shot.

I dout Rodrick wisnae up for gettin banjoed, cause
he decided jist tae bail. But that wis nae guid for the
REST o us, cause noo we were aw aff balance.

Oor canoe cowped ower, and somehow me and ma Da endit up UNNERNEATH it. At first I thocht that wis a GUID thing, cause it meant oor heids were safe frae thae watter-melons.

But I chynged ma mind wance we took a direct hit, cause it wis like stickin yer heid inside the toon haw BELL.

Me and ma Da patched the canoe and stairtit swimmin.
And we'd tae gie it LALDY, cause noo we were oot
o range, the guys on the brae were SKIFFIN their
shots.

We heezed oorsels ontae the dock, whaur we were safe.
Ma Maw wis scunnered that her camera wis gubbed,
but I wisnae up for gettin ma photie taen jist then,
onywey.

<u>Monday</u>

I dout ma Maw realised we'd hae a wee bit ower much faimily time yesterday, cause the day she said awbody could awa and dae their ain thing. I wis plannin on takkin it easy for wance, but ma Maw had ITHER plans for me.

She said this camp wis hoachin wi bairns ma age, and that this wis a smashin wee chance tae get oot there and mak new FREENDS.

I telt ma Maw I wisnae really in a social kind o mood, and there wisnae ony point in tryin tae mak new pals when I'd never even SEE ony o these radges again.

But ma Maw said that some o her best pals richt tae this DAY are fowk she met at summer camp when SHE wis ma age.

I telt ma Maw that it's no the SAME as when she wis wee, and that it's no as easy tae jist pal up wi total randos nooadays. But ma Maw said she could sort that for me, nae bather.

I wis howpin ma Maw wid jist let it drap. But ten meenits efter, a wheen o laddies went past oor caravan wi fishin rods. And afore I could say ONYTHIN, ma Maw wis richt in there wi the introductions.

Somehow, the laddies didnae batter me up and doon the meenit ma Maw turnt her back. They said they were awa doon tae their fishin bit, and that I could come wi them if I wantit tae.

I'm no really intae fishin, but I decided jist tae gang alang wi these loons, tae stap ma Maw frae girnin.

I'd seen a few o them afore at the pool, and on the wey doon tae the burn they telt me their names.

There wis this wee lad that awbody cawed Skoosh, and he seemed tae be the heid bummer. The bairn wi the rubber ring wis Fat Boab, and I couldnae tell if he wis weirin thon thing for a laugh or cause he jist couldnae get OOT o it.

The muckle skinny-malink wis Clocker, and the boy wi the baldy bane wis cawed Dug's Dirt. I'm no meanin tae pit the boot in or onythin, but ye didnae need tae ask him how.

A few ither laddies came alang, and THEY aw had nicknames, forby. Sae I dout that's jist the wey o it aroond here.

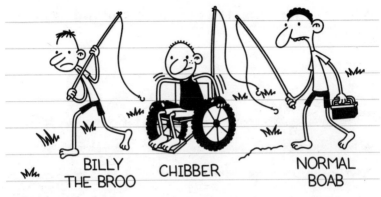

BILLY THE BROO   CHIBBER   NORMAL BOAB

Skoosh asked whit MA name wis, and seein as awbody ELSE had a kid-on name, I thocht I'd be as weel tae, masel.

JIMMY MALINKY.

The burn wis gey shallae doon here, sae I didnae ken how the lads were gonnae catch ony fish. But it turnt oot the real reason they came here wisnae tae fish, it wis tae BLETHER. And they argued aboot EVERYTHIN.

First they were haverin aboot whit superhero wid win in a fecht, and then that turnt intae a blether aboot whit superpower wis maist gallus. And somehow that turnt intae an argie-bargie aboot whit kind o animal ye'd hae the best chance against in a fecht tae the deith.

Then they got intae a muckle stooshie aboot whether ye'd raither fecht a laddie wi the heid o a shark or a shark wi the heid o a laddie. It wis aboot richt doon the middle on thon.

Sae that wis a shoutin match, but then an actual RAMMY broke oot. I didnae want tae get leathered, sae I kept richt oot the road.

But then, jist like that, it wis DONE wi, and awbody wis aw palsy-walsy again.

Weel, I wisnae awfy keen on hingin aboot wi loons that settle AWTHIN wi a smack in the gub, and I telt them I'd need tae get awa hame. But Skoosh said that seein as I wis the NEW laddie in toon, it wis their job tae gie me the guided tour. And I decided tae gang alang wi it, maistly cause I didnae want Dug's Dirt pittin me in a heidlock.

It turnt oot thae lads hiv been comin here for years, and they kent the place back tae front. They kent how tae chore a free bag o crisps oot the vendin machine up the ludge, whit time the delivery van comes tae fill up the camp shop, and whaur ye needit tae be when they hoyed oot the day-auld doughnuts.

But when he heard Chibber pure knottin himsel, we kent oor tea wis OOT. And it wis the LAST guy we should hae been messin wi, forby.

Skoosh and his gang kent aw the guid hidie-holes on the campgrund, sae we kept oor heids doon ahint the tuck shop until the mannie went awa.

I'd never had a muckle bunch o pals afore, and I wis stairtin tae get RICHT intae it.

The lads wantit tae gang doon the pairk next tae the loch and play some gemmes. I thocht they meant somethin normal like cuppie or hospital tig, and I went alang wi them.

But these loons had their AIN idea o a guid laugh.

And maist o their gemmes came doon tae somebody gettin scudded wi a baw or gettin rugby-tackled, and sometimes baith at the same time.

The last gemme we played wis British Bulldug, whaur ye've aw tae mak a human chain and try tae stap wan lad frae breengin through. But Fat Boab is an actual TANK, and he decked the hale lot o us.

It seemed like awbody wis aboot ready tae caw it a day, but that's when somethin drapped oot the SKY.

It wis thon neds on the brae, firin watter-melons oot their hammock. We jouked for cover unner the wee bothy whaur they kept the kayaks. And that's whaur Skoosh telt me whit the patter wis.

He said that ony time him and his gang played in thon pairk, the neds stairtit nailin them wi watter-melons. Weel, I could hae done wi kennin that AFORE I said I'd gang doon wi them.

But then Skoosh said that, the day, him and the troops were ready tae fecht BACK.

They'd stowed awa a hantle o watter pistols in wan o the kayaks, and they had some pure brammers in there. Awbody picked oot a watter pistol for themsels, but seein as I wis the new stairt, I went LAST.

I wisnae mad aboot gettin intae a square-go wi a bunch o neds, sae I telt the lads I wis needin tae get masel back up the road.

But Skoosh said I wis wan o the TROOPS noo, and we were aw in this fecht THEGITHER. I probably should hae jacked it in richt there, but I didnae want tae let the lads doon.

We gaithered in aroond Skoosh, and he showed us his plan. He said somebody'd need tae volunteer tae be the decoy on the loch sae's the rest o us could snuve up on the neds frae ahint.

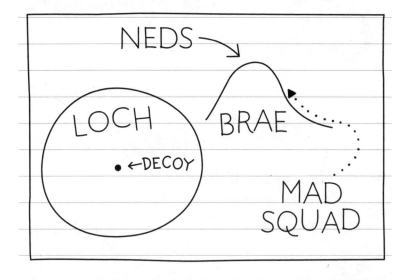

Naebody wantit tae volunteer, sae we had a vote, and that's how Fat Boab got picked. And that wis guid news for me, cause it meant I got his watter gun.

Fat Boab paddled oot intae the middle o the loch, and shuir as ingans the neds stairtit peltin him soon as they clocked him.

And that's when the rest o us made oor MOVE.

We gied it absolute LALDY, and by the time oor watter pistols were empty, thon neds were totally WRINGIN.

But I wish Skoosh had pit a wee bit mair thocht intae the NEXT pairt o his plan, cause aw we really managed tae dae wis tae get thae guys pure RAGIN at us.

They chased us past the main ludge, and we turnt the corner at the laundrette. I thocht they were gonnae catch us nae bather, but then, at the last meenit, Fat Boab came oot o NAEWHAUR.

That gied the rest o us a wee bit time tae fill up oor watter pistols again frae the drinks machine at the tuck shop.

Chibber pauchled a few squeezy bottles o mustard and tomatae sauce for some extra hauners. Sae when the neds caught up wi us, they didnae ken WHIT hit them.

And I couldnae tell ye if it wis cause o the ginger or the tomatae sauce, but a wee meenit efter, and the tuck shop wis hoachin wi BEES.

We ran back tae oor auld hidie-hole tae catch oor breith.

Awbody wis in the mood for a pairty, but Skoosh wis GEY antsy. He said the neds wid be comin efter us, and the heid bummer at the camp wis gonnae be fizzin aboot the midden we'd made o the tuck shop.

Chibber said we should aw cross oor HERTS that if ony o us got caught, naebody wid grass on onybody else. And awbody wis richt up for that.

But it got oot o haund when we stairtit talkin aboot whit the PAIKS wid be for clypin, cause everybody had a different notion aboot whit it should be.

Fat Boab said that if ye telt on the ithers, then ye'd hiv tae gang through the Watter Float Mill. I thocht that wis takkin it a BIT faur.

Normal Boab said that if wan o us clyped on somebody, they'd need tae weir their punders on their heid for the rest o the day.

But even THAT wisnae eneuch for SOME fowk. Billy the Broo said it should hiv tae be yer DA'S punders, and then ye'd tae stoat past the fit lassies' campsites at denner-time.

Then the lads got intae a stushie aboot whether the punders should be clean or clatty, and things got aw handbags again. But I wis actually GLED, cause it gied me the chance tae dae a disppearin act afore onybody noticed.

SCUD

Tuesday

I wis awfy blythe ma Maw didnae hae ony big ideas for us the day. Efter awthin that went on the ither day, I really jist wantit tae keep ma heid doon for the rest o the trip.

Ma Maw went tae the camp shop tae get the messages for denner, and when she got back she wis aw excitit aboot this leaflet she'd picked up at the main ludge.

THE NICHT!

POOL PAIRTY!

SCRAN! GEMMES! TUNES!

FAIMILY FUN AW THE WEY!

Naebody else wis fussed aboot gaun tae a pool pairty, but ma Maw said this could be the verra thing tae turn oor trip aroond.

We aw kent that wance ma Maw's glaumed on tae an idea, there's nae chyngin her mind. Forby, it'd been gey clammy aw day, sae I thocht it'd be guid tae cool aff for a few oors.

Ma Maw forgot tae get some disposable cutlery at the shop, sae she sent me back up wi some money. I wis a wee bit feart wan o the neds wid spy me on the wey, sae I wantit tae get up and doon as fast as I could.

But I stapped deid when Normal Boab shoutit on me as I passed by oor wee hidie-hole.

Normal Boab telt me that this mornin these posters stairtit showin up aw ower camp, and he haundit me wan he'd taen frae the laundrette.

But as soon as I saw thon poster, I kent it wis a
TRAP. I telt Normal Boab that the heid bummers
at the camp were jist tryin tae catch the bairns that
gubbed the tuck shop, and they were usin ice cream as
BAIT. I telt him no tae get taen in by it, and tae
mak shuir the ITHER lads didnae faw for it, either.

But he said it wis awready ower LATE. Cause wance
thon posters went up, Skoosh and the ither loons were
straicht up the ludge wi their watter pistols.

Normal Boab telt me that he'd hiv been there TAE, anely he'd had tae gang back tae his caravan tae grab his watter pistol. And by the time he got tae the ludge, the door wis awready SNIBBED.

Sae Normal Boab lowped up ontae a recyclin bin tae hae a swatch through the windae and see whit wis gaun doon. And whit he saw pit his gas at a PEEP.

There wisnae ony ice cream AT AW. The heid bummer at the camp telt the lads they were gonnae hiv tae dicht the hale tuck shop the morra morn, and use TOOTHBRUSHES forby.

I dout Skoosh didnae fancy the soond o that, cause he telt the heid bummer that the hale thing wis jist a muckle MISUNNERSTAUNIN.

He said him and the ither lads hidnae wantit tae fecht, and the loon that stairtit it aw wis still on the loose. And when the heid bummer asked him the name o the leader-aff, Skoosh didnae even think TWICE aboot it.

JIMMY MALINKY.

I dout the heid bummer wisnae for buyin it, but. Cause efter he'd let the ither lads gang, he made Skoosh gang chappin doors wi him tae track doon this Jimmy Malinky radge.

Weel, I didnae want tae be kickin aboot when they came tae MA caravan. Sae wance I got back tae oor campsite, I telt awbody we needit tae eat quick sae's we could get tae thon pool pairty.

I thocht the pool pairty micht be the wan place on the campgrund that I'd actually be SAFE. But wance we got there, I realised there wis hee-haw chance o THAT.

There's somethin aboot lood music at nicht-time that maks fowk act a wee bit extra mental. And it wisnae jist the bairns this time, it wis the adults forby.

Likesay, yer Da and his Da pals had turnt the shallae end intae a muckle WHIRLPOOL.

And somebody had slaistered butter aw doon the chute, sae fowk were skitin richt aff it at a hunner miles an oor.

There wis a film playin on a screen at the deep end o the pool, and I dout whaever picked the film forgot there'd be BAIRNS at the pairty.

SCREEEEICH!

Ma Maw wisnae even takkin tent o whit wis gaun on in the pool. There wis a wheen o activities in the gressy bit, and ma Maw wantit us tae hae a shot at AWTHIN.

We went in for the balloon-burstin relay as a faimily, but we feenisht deid last cause Manny wis ower wee tae burst the first balloon.

Ma Maw made ma Da gang in for the kettle-belly contest, but he didnae even get past the first roond.

Manny pit his name doon for a hot-dog eatin contest, and I'm tellin ye, that boy could eat hot-dogs tae a BAND playin.

Me and Rodrick went in for a Capernoitit Ceilidh relay race, whaur ye'd tae birl aroond a basebaw bat five times, then tig the next person in yer team. But we were up against twa loons that had jist came oot the hot-dog eatin content, sae things got a wee bit BOWFIN.

Ma Maw tried tae get me tae gang in for the mither-son dance contest wi her, but there's no eneuch gowd in the warld tae get me sayin aye tae THAT.

I went in for the pie eatin contest, cause I thocht that competition had ma name aw OWER it. But they went and had it at the same time as the belly flop contest, and ma seat wis the wan richt next tae the watter.

PLOOSH

And thon belly flop contest, mun. Aw thae numpties got on the divin board at WANCE, and it wisnae meant tae cairry that mony fowk.

Efter the pairty activities were done wi, ma Maw stairtit nippin oor heids until we aw got intae the watter for a quick faimily swim.

The pool wis absolutely heavin and naebody wis really daein ony swimmin, onywey. The anely fowk that were haein a braw time were the wans on RAFTS.

But the rafts were aw taen, and naebody wis for giein wan up.

Then ma Maw got a swatch o this muckle rubber ring in the middle o the watter. Ye'd hae thocht it wis aff an AEROPLANE, it wis that ginormous. Sae we aw swam oot tae it afore somebody chored it for theirsels.

The thing wis that muckle it wis SOME job gettin us aw intae it. But wi a wee bittie teamwark, we jist aboot managed it.

Wance we'd aw got in, we fund oot how naebody else had wantit it tae STAIRT wi.

Efter we'd got cowped oot the muckle rubber ring, even ma Maw wis done wi the pool pairty. And I felt gey sorry for her, cause I kent she'd wantit it tae be a special nicht.

Loads o ither fowk were stairtin tae heid up the road as weel, but there wis still a few punters straiglin in late. And a couple o them looked AWFY familiar.

The rest o ma faimily went plowterin oot o the watter, but me, I wis steyin whaur I wis. I wisnae shuir if thon neds wid ken me frae Adam, but I wisnae awa tae find OOT.

The swimmin pool wis still absolutely mobbed, sae it wis gey easy tae blend in wi the crood. But wance thae guys got in the watter, it wis a guid bit hairder steyin oot o their road.

And that wisnae even the WARST o it. Cause guess wha ELSE turnt up at the pairty?

I kent it wis me the heid bummer wis efter. Sae there wis anely wan place left that I could gang. DOON.

I went tae the bottom o the pool and planked ma bahookie. And I wis ready tae stey doon till YON time, if I had tae.

I'd jist aboot ran oot o oxygen when somethin gey UNCO happened. There wis a glisk o licht, like somebody'd taen a photie unnerwatter. Then awbody stairtit pilin oot the pool.

In aboot ten seconds, it wis empty except for ME. And that's when I pit ma heid above the watter.

First thing I noticed wis the RAIN. It wis bucketin doon. Then a flash o LICHTNIN gaed ower the sky, and I kent how awbody'd been fawin ower theirsels tae get oot the watter.

Skoosh and the neds were lang awa, and sae wis ma FAIMILY. I didnae want tae get electro-malkied, sae I thocht I'd better mak tracks, masel.

I got oot the pool area and heidit for the caravan. But in the daurk and the pourin rain, it wis haird tae tell whaur I wis gaun.

There wis a MUCKLE crack o lichtnin, and it soondit like it'd mebbe hit somethin near aboots.

Then the air-raid siren on tap o the ludge stairtit up, which did NAE guid for ma blood pressure.

I realised that if I wis ootside ony langer, I wis gonnae get burnt tae TOAST. But naebody in ony o the luxury caravans wid let me in.

I finally got back tae oor caravan. And when I opened the door, ma hale faimily wis awready there.

Ma Maw said she thocht I'd ran aheid tae the caravan wance the rain stairtit, and it wis a MIRACLE I wis awricht.

Bein honest wi ye, I kent whit she meant.

Thon storm came at jist the richt time, and it pure felt as if there'd been somebody watchin ower me.

Mind, like as no it wis jist some muckle cosmic JOKE.

Cause if there's wan thing I lairnt the nicht, it's that God's got some sense o HUMOUR on him.

<u>Wednesday</u>

If ye've ever wunnered whit it's like tae get skooshed by a skunk, I can tell ye frae ma ain experience. It's as if ye've went BLINN, and yer een nip like NAETHIN else.

Sae ye hiv tae wash them oot wi watter, if ye happen tae hae ony tae haund.

185

Wance ye're able tae see again, that's when ye notice the HONK. It's like a mixtur o rotten eggs and deid dugs. And ye dinnae jist SMELL it, ye TASTE it. If ye're wantin ma advice; jist dinnae get skooshed by a skunk. It's no wirth it.

Wan o the books we got at the campin shop had a bit on whit tae dae if ye got laid oot by a skunk. But it wis nae guid tae us, cause we couldnae get the things we needit till the camp shop opened in the mornin.

SAE YE'VE BEEN SKUNKED

Gettin skooshed aff a skunk is nae joke. But if it happens tae ye, here's whit ye can dae tae get shot o thon honk:

• Fill a bath tub wi 10 pints o 3-percent hydrogen peroxide, 20 tablespuins o bakin sodae, and ten teaspuins o washin-up liquid.
• Dook, dicht, scrub and repeat as necessary!

We kent we couldnae gang tae sleep honkin o skunk, sae we tried tae find somethin tae cover up the smell.

It turnt oot there wis a wheen o mustard and tomatae sauce sachets in wan o the drawers, and we rubbed them aw ower oorsels. Manny howked a bottle o Uncle Gary's eftershave oot frae the seat cushions, but that stuff wis nearly as mingin as the SKUNK.

We aw had a SHOCKIN nicht's sleep, and when we woke up the next morn we realised it wisnae jist US that wis bowfin. It wis everythin else in the caravan, forby.

Sae we'd tae empty oot the hale place. And that meant chuckin oot jist aboot awthin, includin oor SCRAN.

Ma Maw gied me some money and sent me up tae the shop for some messages and the de-skunkifyin stuff. But on ma wey up there, I could tell somethin wis FAUR wrang.

By the time I got tae the shop, aw the scran wis AWA, and the shelves were jist aboot bare. It wis a pure fluke there wis still some hydrogen peroxide and bakin sodae left, cause if I'd been a couple o meenits later, somebody'd hae been awa wi THEM, forby.

I tried tae ask somebody whit the score wis, but I dout the mustard and tomatae sauce wirnae coverin up the skunk honk ony mair.

Efter I'd peyed for ma stuff and left, I ran intae Dug's Dirt. I dinnae think he even NOTICED the reek comin aff me.

He telt me the reason fowk were gaun mental wis that last nicht a bolt o lichtnin had wannered the brig comin intae the campgrund, and noo hauf the brig wis totally GUBBED.

He said the truck that brings the supplies couldnae get intae the camp, and that wis how awbody wis buyin up awthin at the shop.

I wis gettin masel intae a richt state, listenin tae him.
Cause if naebody could get INTAE the camp, that
meant naebody could get OOT o it, either.

I ran back tae tell ma Maw and Da whit the story
wis. But by then oor neebors had woke up, and I got
the feelin they wirnae chuffed aboot the skunk reek.

I gied ma Maw and Da the rin-doon aboot the brig.
Ma Maw said the maist important thing wis no tae
loss the HEID, cause that widnae help. And she said
the thing tae focus on the noo wis gettin shot o this
STINK.

The de-skunkifyin instructions said tae cowp the bakin sodae and hydrogen peroxide intae a warm bath, but the campground wisnae exactly hoachin wi bathtubs. Sae we'd tae settle for the next best thing. And it turns oot dugs arenae mad aboot the smell o skunks, either.

We must hae sat in thon hot tub for aboot an oor. But in the time it took for us tae dicht clean oorsels and oor claes, the hale camp had went totally on the RANDAN.

It stairtit wi the WATTER. When the camp shop ran oot o watter bottles, fowk used the tap up by the main ludge tae fill up wi.

Some fowk took a pure lend, but, and the well ran OOT.

Sae next thing wis, fowk jist stairtit chorin watter frae ONY place they could find it.

Things REALLY kicked aff wance fowk ran oot o the coins they needit tae wirk the shooers.

Aw o a sudden 10p's were like GOWD, and there wis aw these stories aboot some wifie sellin her weddin ring for a pound twinty.

Some fowk were gaun radge aboot no haein ony coins, sae they raided the PUGGIES.

It wis the laundrette efter thon. And ye kent this hale PLACE wis gonnae honk efter awbody ran oot o clean claes.

Then somebody came oot wi this glaikit idea tae get watter straicht frae the plastic tank on tap o the bathhoose.

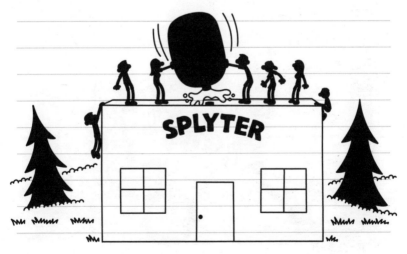

The tank cowped aff the roof and birled doon the brae, slitterin hauf the watter oot afore finishin up at the horseshoe pits. THEN the ITHER hauf spleutered oot intae the sand.

Noo fowk were REALLY stairtin tae loss the plot, and they tried tae scairt up aw the watter they could. But the horseshoe pit turnt intae QUICKSAND, and a few fowk actually had tae get howked OOT.

196

By denner-time, awbody wis pure STAIRVIN. Some fowk had eneuch scran tae dae them a few days, but maist fowk had been expectin tae dae their messages at the camp shop.

And that's when things went pure DOOLALLY. A load o fowk cleared oot the tuck shop, and wan bam pauchled a muckle bag o feed frae the pets-weelcome bit.

The animals must hae wirked oot it had gaun gyte oot there, cause they aw teamed up THEGITHER.

And when oor neebors fired up their grill tae dae some burgers, a pack o dugs wis in there like a SHOT.

A few fowk fired intae the leftower hot-dogs frae the pool pairty, and thon neds frae the brae tried tae scrape up whit wis left o their catapult ammo doon at the pairk.

I wis mair FLEGGIT than hungry. Fowk dae mental things when they're at their tether's end, and I had nae idea how bad things were aboot tae get. Sae I kept ma tap aff, jist sae fowk could see there wisnae a PICK o meat on me.

The ither thing I wis fashin masel aboot wis the WEATHER. Ma Da's phone said anither storm wis on its wey, and that wis the LAST thing this place wis needin the noo.

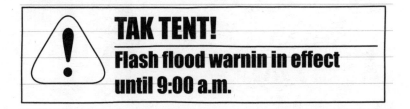

TAK TENT!
Flash flood warnin in effect until 9:00 a.m.

Ma Maw said awbody wis jist bein a drama queen, and that the morra somebody wid fix the brig and awthin wid gang back tae normal.

But wance it got daurk, things at the campgrund got even WARSE. And when wan o the luxury caravans got cowped ower by fowk wha thocht they were hoardin aw the tinned scran and bog roll inside, ma Maw finally admitted things were gettin oot o HAUND.

Noo we AW wantit tae get oot o the camp, but naebody had ony idea HOW. And that's when I thocht o the BURN.

I mindit there wis that wan bit that wis gey SHALLAE, and I said we mebbe could drive the caravan ower the rocks tae get tae the ither side.

I thocht awbody wid tell me tae awa and play wi the traffic, but when a caravan twa doors doon got cowped, we were ready tae try jist aboot ONYTHIN.

DOWF

We didnae want tae set fowk aff by turnin on the engine, sae we pushed the caravan aff the site and doon the brae. And wance we'd got it gaun, thon caravan REALLY up built a heid o steam.

The anely thing is, but, we forgot tae lowse the sewage pipe afore we got rollin, and it made SOME amount o mess.

But there wis nae gaun back noo, and wance the caravan stairtit pickin up speed, we aw lowped in.

We coasted it doon tae the fit o the brae, whaur the loch emptied intae the burn. And wance we'd got a guid distance frae awbody else, we thocht it wid be safe tae stairt the engine.

We kept the heidlichts aff, cause we didnae want onybody SEEIN us. But that made it kind o a fankle tae find the shallae bit in the burn.

By noo it had stairtit tae RAIN, and it wis fair peltin doon. But wance we'd turnt the heidlichts on, I fund the bit whaur the burn wis shallae.

Ma Da pit his fit on the accelerator. We inched oot gey slow, and for a meenit it looked like we were gonnae get aw the wey across.

But wance we'd got tae the middle o the burn, there wis this scunnersome soond, and the caravan stapped DEID.

SCREICH

We were stuck on a muckle ROCK, and somethin got joogled richt aff o the bottom o the caravan. I'm no makkin oot tae ken onythin aboot motors or that, but it looked like a bit we kind o NEEDIT.

But it turnt oot that wisnae even the WARST o it. The rain wis absolutely LASHIN doon by noo, and aw a sudden thon burn wisnae lookin that SHALLAE ony mair.

Noo oor sewage line wis UNNER the WATTER, and it wisnae lang afore the system stairtit backin up.

The keich frae the cludgie wis spewin intae the livin area, and we aw scrammled tae get aff the flair. We couldnae stey inside the caravan, sae we tried tae get OOT. But by noo the watter in the burn wis rinnin that fast ye'd hae needit tae be a grade-A bawheid tae THINK o lowpin in.

The caravan wis pure fillin up wi watter, and we had tae climb even HIGHER. Rodrick got himsel up ontae the roof, then he pullt the REST o us up there.

But wance we were aw on the roof, the caravan stairtit tae TURN.

The burn wis floodin by noo, and the caravan got liftit free frae the rock it'd been stuck on. Next thing wis, we were floatin doonstream.

We were heidit STRAICHT for thon brig. And if we didnae get doon frae the roof, thon thing wis gonnae tak oor NAPPERS clean aff.

Weel, then I got a swatch o the seat cushions frae the kitchen that had floated oot the side door. I lowped first, and awbody else did the same thing.

PLOOSH

Awbody except MANNY, I mean. Somehow he'd got himsel back doon intae the caravan and wis planked in the DRIVER'S seat.

The rest o us were pure frantic, cause the caravan wis aboot tae smash intae the BRIG.

But at the last meenit, Manny turnt the wheel shairp tae the richt, and the caravan stairtit tae TURN. And when it got tae the brig, the caravan jist sneckit intae place like a jigsaw piece.

Manny wisnae FEENISHT, but. He grabbed somethin oot the glove compartment and then, for the second time this trip, he fired aff the flare gun.

Even though it wis still teemin doon, the flare lit up the sky. A few meenits efter, we saw some heidlichts comin oor wey. At first I thocht it wis fowk comin tae RESCUE us. But when they got tae the brig, they jist kept GAUN.

It wis the best pairt o an OOR afore aw the motors had got tae the ither side.

And wance the last motorbike skirled ower the brig,
the anely thing we could hear wis the rain.

Setturday

Efter awbody else had patched the campgrund, we were the anely yins LEFT. Wi aw the punters awa, we were finally able tae ENJOY oorsels. And for wance, Campers' Eden lived up tae its NAME.

See, aw it took tae turn this place intae paradise wis for awbody else tae BEAT IT.

A couple o days efter the storm, the delivery truck came back tae fill up the camp shop. And that nicht, we ate like twa men and a wee fella.

We had the hale loch tae oorsels, forby. And noo that the watter wis guid and deep, we were able tae hae some FUN.

PLOOSH

And mebbe it's jist me bein a big saftie, but we DID come away frae oor trip wi some happy memories.

But afore ye say onythin, I wis richt, cause it DID tak a miracle for it tae happen.

I still think we could've had a guid time wioot aw the STRAMASH, but. Sae mebbe next time we dae somethin as a faimily, we can stick wi somethin CANNY, like crazy gowf.

I'm richt lookin forrit tae tellin Rowley aboot ma holiday, wance I get back. But I'll no bather him wi the bits that were kind o a riddie.

And mebbe I'll chynge the odd detail here and there, ken. Cause ye should never let the truth get in the wey o a guid story.

ACKNOWLEDGMENTS

Thanks to all the fans who have made my dream of becoming a cartoonist a reality. Thanks to my wife, Julie, and to my whole family for cheering me on through deadlines.

Thanks to Charlie Kochman for being my partner in crime for all these years, and for your dedication to making great books. Thanks to everyone at Abrams, including Michael Jacobs, Andrew Smith, Hallie Patterson, Melanie Chang, Kim Lauber, Mary O'Mara, Alison Gervais, and Elisa Gonzalez. Thanks also to Susan Van Metre and Steve Roman.

Thanks to the Wimpy Kid team (Shae'Vana!): Shaelyn Germain, Vanessa Jedrej, and Anna Cesary. Thanks to Deb Sundin, Kym Havens, and the incredible team at An Unlikely Story.

Thanks to Rich Carr and Andrea Lucey for your outstanding support. Thanks to Paul Sennott for your expert advice. Thanks to Sylvie Rabineau and Keith Fleer for everything you do for me. Thanks to Roland Poindexter, Ralph Millero, Vanessa Morrison, and Michael Musgrave for bringing fresh excitement to the Wimpy World.

As always, thanks to Jess Brallier for your friendship and support.

ABOUT THE AUTHOR

Jeff Kinney is a #1 *New York Times* bestselling author and a sixtime Nickelodeon Kids' Choice Award winner for Favorite Book. Jeff has been named one of *Time* magazine's 100 Most Influential People in the World. He is also the creator of Poptropica, which was named one of *Time's* 50 Best Websites. He spent his childhood in the Washington, D.C., area and moved to New England in 1995. Jeff lives with his wife and two sons in Massachusetts, where they own a bookstore, An Unlikely Story.